# LE CLUB DES BABY-SITTERS

## STACEY EST AMOUREUSE

UNE BD DE
# GALE GALLIGAN

# LE CLUB DES BABY-SITTERS

# STACEY EST AMOUREUSE

D'APRÈS LE ROMAN D'ANN M. MARTIN
MISE EN COULEURS DE BRADEN LAMB
TEXTE FRANÇAIS D'ISABELLE ALLARD

SCHOLASTIC

Catalogage avant publication de Bibliothèque et Archives Canada

Titre: Stacey est amoureuse / une BD de Gale Galligan;
d'après le roman de Ann M. Martin; texte français d'Isabelle Allard.
Autres titres: Boy-crazy Stacey. Français
Noms: Galligan, Gale, auteur, artiste. | Martin, Ann M., 1955- créateur.
Description: Mention de collection: Le club des baby-sitters; 7 | Traduction de
l'adaptation de: Boy-crazy Stacey / Ann M. Martin.
Identifiants: Canadiana 20190110732 | ISBN 9781443177191 (couverture souple)
Vedettes-matière: RVMGF: Romans graphiques.
Classification: LCC PZ23.7.G35 Sta 2019 | CDD j741.5/973—dc23

Édition publiée par les Éditions Scholastic, 604, rue King Ouest,
Toronto (Ontario)  M5V 1E1.

5  4  3  2  1      Imprimé en Malaisie  108      19  20  21  22  23

Conception graphique de Phil Falco

**KRISTY THOMAS**
PRÉSIDENTE

**CLAUDIA KISHI**
VICE-PRÉSIDENTE

**MARY ANNE SPIER**
SECRÉTAIRE

**STACEY MCGILL**
TRÉSORIÈRE

**DAWN SCHAFER**
SUPPLÉANTE

**MALLORY PIKE**
MEMBRE JUNIOR

## CHAPITRE 1

2

VOICI LES HUIT ENFANTS PIKE, INCLUANT MALLORY. ELLE N'A PAS LA VIE FACILE, CAR ELLE EST LA PLUS ÂGÉE ET DOIT SOUVENT PRENDRE SOIN DES AUTRES.

M. ET MME PIKE NOUS ONT EMBAUCHÉES, MARY ANNE ET MOI, POUR QUE MALLORY PUISSE PROFITER DES VACANCES CETTE ANNÉE.

Membre junior!

Triplets!!!

Mallory (11), Claire (5), Margo (7), Vanessa (9), Byron (10), Jordan (10), Adam (10) et Nicky (8)

JE DOIS ADMETTRE QUE JE SUIS UN PEU NERVEUSE. MARY ANNE EST MON AMIE, MAIS JE NE SUIS PAS AUSSI PROCHE D'ELLE QUE DE CLAUDIA.

ON EST **TRÈS** DIFFÉRENTES L'UNE DE L'AUTRE!

CECI DIT, IL N'ÉTAIT PAS QUESTION DE REFUSER DES **VACANCES PAYÉES À LA PLAGE!**

• extravertie
• raffinée
• romantique

• timide
• sensible
• réfléchie

Sans oublier notre style vestimentaire!

NOS PARENTS VONT BIENTÔT ARRIVER!

JE NE VOUS VERRAI PAS PENDANT **DEUX SEMAINES!**

HÉ, J'AI UNE IDÉE!

C'ÉTAIT DIFFICILE DE PARTIR SI LONGTEMPS...

MAIS J'ÉTAIS TOUT DE MÊME EXCITÉE EN PENSANT AU SOLEIL, À LA MER...

ET À TOUTES LES AVENTURES QUI NOUS ATTENDAIENT À **SEA CITY, AU NEW JERSEY!**

JE VOUS AI DEMANDÉ DE VENIR AUJOURD'HUI POUR DISCUTER DE CE QUE VOUS FEREZ À SEA CITY ET ÉTABLIR QUELQUES RÈGLES.

VOUS ALLEZ SURTOUT NOUS DONNER UN COUP DE MAIN, CAR ON SERA SUR PLACE, MON MARI ET MOI.

MAIS CE SERAIT BIEN D'AVOIR UN PEU DE TEMPS POUR NOUS.

ALORS, IL Y AURA DES APRÈS-MIDIS ET DES SOIRÉES OÙ VOUS VOUS OCCUPEREZ SEULES DES ENFANTS EN NOTRE ABSENCE.

IL Y A BEAUCOUP À VOIR ET À FAIRE À SEA CITY, QUI EST UNE VILLE TRÈS SÉCURITAIRE. GARDEZ JUSTE UN ŒIL SUR LES ENFANTS EN TRAVERSANT LA RUE.

ET IL Y A UNE RÈGLE POUR LA PLAGE.

PERSONNE NE VA DANS L'EAU, MÊME PAS AU BORD, AVANT 9 H OU APRÈS 17 H, QUAND LES SAUVETEURS SONT ABSENTS.

À PART ÇA, LES ENFANTS SONT LIBRES DE SE BAIGNER DU MOMENT QU'ILS RESTENT DEVANT LE POSTE DES SAUVETEURS. D'ACCORD?

D'ACCORD.

LES ENFANTS NE M'ÉCOUTERONT PAS S'ILS PENSENT QUE JE DOIS CONSULTER MA MÈRE POUR TOUT.

snif

C'EST DIFFICILE D'AIDER NOS PARENTS À ACCEPTER DE NOUS VOIR GRANDIR.

MAIS IL LE FAUT.

Samedi après-midi

Chère Kristy,

Salut! On est arrivées! Le trajet a été mouvementé, mais tout va bien maintenant. Aimes-tu cette carte postale? On a trouvé une pharmacie qui vend des cartes. Voici des informations à inscrire dans le cahier du club :

Parfois, les Pike ont le mal des transports. Claire est encore dans sa période bébête. Elle appelle sa mère « Mamouzie » et son père « Papouza ». C'est tout pour l'instant. D'autres nouvelles demain!

Bye,
Stacey

Kristy Thomas

1210 McLelland Rd.

Stoneybrook, CT 06800

bip bip bip

frrt
frrt

AS-TU VÉRIFIÉ TES BANDELETTES ET TON GLUCOMÈTRE?

DEUX FOIS PLUTÔT QU'UNE.

BONJOUR, STACEY! BONJOUR, MONSIEUR MCGILL!

BON, JE NE SUIS PAS LE SEUL PÈRE QUI VA S'ENNUYER DE SA FILLE.

BONJOUR, STACEY-GOUZI-GOUZA!

BONJOUR, MARY ANNE-GOUZI-GOUZA!

OUF, JE CROIS QUE C'EST...

TAC

QU'EST-CE QUE C'EST?

DE LA LITERIE.

DES JOUETS.

PFFFFFF.

QUARANTE-CINQ MINUTES PLUS TARD, TOUT ÉTAIT ENFIN PRÊT.

BON, VOICI LE PLAN, TOUT LE MONDE.

MARY ANNE, TU VAS MONTER DANS LA VOITURE DE MA FEMME. STACEY, TU VIENS AVEC MOI.

ON VA SE RETROUVER POUR UNE COURTE PAUSE À MI-CHEMIN, OÙ IL Y A UNE CRÉMERIE.

COMPRIS.

ET ON EST PARTIS!

PIKEMOBILE (N° 1)

M. Pike

Mallory

Nicky

Moi!

Seau à vomi

Claire

Margo

Divertissement!

ATTENDEZ...

UN SEAU À VOMI?

AU REVOIR, MAISON-GOUZI-GOUZA!

SEA CITY, NOUS VOICI!

ON ARRIVE QUAND?

OH LÀ LÀ.

DANS QUELQUES HEURES. SORTEZ DONC VOS CAHIERS À COLORIER!

VOUS POURRIEZ FAIRE UN DESSIN POUR VOTRE MÈRE.

30

GOUZI-GOUZA!

DE LA CRÈME GLACÉE! YÉÉÉÉ!

OUF!

COMMENT ÇA S'EST PASSÉ?

PLUTÔT BIEN... JUSQU'À LA PANCARTE VOMI-MOBILE.

HA! HA! DÉSOLÉE.

IL RESTE JUSTE QUELQUES HEURES.

Chère Claudia,                    Samedi soir

Salut! On est à Sea City depuis une
demi-journée. Tu aurais dû voir les
enfants quand on est arrivés. Ils étaient
si excités! On est partis explorer après
avoir défait les bagages. Il y a plein de
choses à faire ici.
On a visité la ville et on s'est promenés
sur la plage. J'ai vu un super beau gars!
Ce sauveteur est le garçon de mes rêves!
À plus!

                            Stace

SEA CITY, NJ

Claudia Kishi

Sky Mountain Resort

Lincoln, NH 03251

FOREVER USA

## CHAPITRE 4

ALORS, VOUS VENEZ DANS CETTE MAISON CHAQUE ANNÉE?

OUI. ON A DE LA CHANCE, CAR ELLE DONNE SUR LA PLAGE.

PARFOIS, LE SOIR, ON S'ASSOIT SUR LE PERRON POUR REGARDER LA MER.

ET QUAND IL PLEUT...

IL Y A UNE CHAMBRE AU TROISIÈME ÉTAGE AVEC UNE BANQUETTE SOUS LA FENÊTRE D'OÙ ON PEUT REGARDER LES ÉCLAIRS ET LES GROSSES VAGUES.

QUE VOULEZ-VOUS FAIRE CET APRÈS-MIDI?

ALLER À LA PLAGE.

FAIRE DES CHÂTEAUX DE SABLE.

LA SALLE D'ARCADE!

LA GRANDE ROUE!

SAUTER SUR LES TRAMPOLINES!

QUELQUES HEURES PLUS TARD, ON S'EST RETROUVÉS SUR LA PLAGE DEVANT LA MAISON DES PIKE.

HUM, ON DIRAIT QUE LES SAUVETEURS S'EN VONT.

VOUS NE POURREZ PAS VOUS BAIGNER, MAIS VOUS POUVEZ JOUER SUR LA PLAGE.

JE VAIS ALLER CHERCHER LES RAQUETTES ET UNE BALLE.

YOUPI!

AAAAAH.

EN EFFET.

# CARTE POSTALE

Chère Kristy,

Dimanche

Voici une info pour le cahier :
Les Pike se lèvent tôt.
À plus!

Stacey

Kristy Thomas

1210 McLelland Rd.

Stoneybrook, CT 06800

---

Dimanche

Chère Claudia,

Aujourd'hui, j'ai découvert le nom
du beau garçon : il s'appelle SCOTT!
J'ai hâte de le revoir.

À bientôt,
Stacey

Claudia Kishi

Sky Mountain Resort

Lincoln, NH 03251

P.-S. Je ne veux pas montrer cette
carte à Mary Anne. Elle ne me
comprend pas pour Scott.
Elle pense que j'ai perdu la tête.

## CHAPITRE 5

STACEY?

STACEY?

STACEY, LÈVE-TOI.

ON VEUT ALLER À LA PLAAAAGE.

48

DU BACON.

LES ENFANTS ONT ENGLOUTI LEUR DÉJEUNER.

PUIS ILS ONT COURU VERS LA PLAGE.

HUM.

PENSES-TU QU'IL Y A UN PROBLÈME AVEC BYRON?

QU'EST-CE QUE TU VEUX DIRE?

BYRON! VIENS!

NON, MERCI.

TU ES **NUL.**

POULE MOUILLÉE!

IL SAIT NAGER, POURTANT?

OUI, LES ENFANTS ONT SUIVI DES COURS L'AN DERNIER.

JE ME DEMANDE SI...

QUI A DÉCIDÉ QUE VOUS, LES TRIPLETS, **DEVIEZ** ALLER DANS L'EAU?

BYRON A PEUT-ÊTRE ENVIE DE FAIRE AUTRE CHOSE.

MAIS ENFIN... ON EST À LA **PLAGE!**

LA PLAGE, C N'EST PAS Q DE L'E

M'ÉCOUTES-TU? JE COMPRENDS QUE LE SAUVETEUR EST BEAU, MAIS ON EST ICI POUR TRAVAILLER.

TU M'AS LAISSÉE SEULE AUJOURD'HUI AVEC LES ENFANTS, ET C'EST TRÈS FRUSTRANT.

STACEY?

SCOTT.

QUOI?

IL S'APPELLE SCOTT.

AAAAAAAH!

JE PENSAIS QU'ADAM ALLAIT FRAPPER LA BALLE VERS MOI, MAIS...

J'AI RECULÉ DANS UN TAS D'ALGUES!

JE VAIS PRENDRE L'AIR.

Chère Kristy,                    Lundi

Il y a un problème avec Nicky.
Les triplets le trouvent trop bébé
et ne jouent pas avec lui. Mais il
n'y a pas d'autre garçon dans la
famille et il ne veut pas se retrouver
avec les filles, surtout Vanessa.
Ça me fait de la peine pour lui!

Kristy Thomas

1210 McLelland Rd.

Stoneybrook, CT 06800

                    À plus!
                    Stacey

---

Chère Dawn,              Lundi

Salut! Comment est la Californie?
Devine quoi? J'ai un coup de soleil!
Je ressemble à une tomate avec
des cheveux.

Dawn Schafer

88 Palm Blvd.

Palo City, CA 92800

              À bientôt,
              Mary Anne

## CHAPITRE 6

SCOTT ÉTAIT EN CONGÉ LE LENDEMAIN, MAIS JE N'ARRÊTAIS PAS DE PENSER À LUI.

AAAAH...

IL AVAIT L'AIR CONTENT QUE J'AILLE LUI PARLER. EST-CE QUE ÇA VOULAIT DIRE QU'IL M'AIMAIT BIEN?

AAAAH...

OU ÉTAIS-JE TROP TRANSPARENTE? IL ME TROUVAIT PEUT-ÊTRE TROP INSISTANTE.

*AAAAH...*

LA JOURNÉE S'EST PASSÉE COMME DANS UN BROUILLARD, PUIS...

STACEY? MARY ANNE?

BIENVENUE AU JARDIN DU BURGER. SUIVEZ-MOI!

UNE AUTRE PREMIÈRE!

MON PREMIER VOYAGE SEULE, MON PREMIER SÉJOUR AU BORD DE LA MER...

MON PREMIER SERVEUR ANIMAL...

TON PREMIER TABOURET-CHAMPIGNON.

C'EST UN ÉTÉ MAGIQUE.

UNE HEURE PLUS TARD, ON S'EST RETROUVÉS À LA CRÉMERIE.

ACÉE

JE NE PRENDS PAS DE CRÈME GLACÉE, ALORS CHACUN PEUT AVOIR UNE BOULE DE PLUS.

ET DES PAILLETTES.

JE N'EN VEUX PAS NON PLUS, DONC IL Y AURA UN SURPLUS.

ÇA VA? TU AS L'AIR BIZARRE.

JE NE SAIS PAS. J'AI CHAUD, MAIS JE FRISSONNE.

OH NON!

TU AS UN COUP DE SOLEIL!

NOOOOOOON.

ON A ACHETÉ DE LA CRÈME GLACÉE POUR RAFRAÎCHIR MARY ANNE...

ET C'EST AINSI QUE NOTRE DEUXIÈME JOURNÉE S'EST TERMINÉE.

QU'EST-CE QUE J'AI FAIT POUR MÉRITER ÇA?

MARY ANNE?

JE T'AI APPORTÉ QUELQUE CHOSE.

ON T'A TOUS APPORTÉ QUELQUE CHOSE.

DE LA CRÈME HYDRATANTE.

UNE BOUTEILLE D'EAU.

DES COMPRESSES FROIDES.

UN MINIVENTILATEUR À PILES.

LA LOTION À L'ALOÈS DE MAMAN.

DES POCHES DE THÉ POUR TES PAUPIÈRES.

ET DU BEURRE D'ARACHIDE.

aloès

DU BEURRE D'ARACHIDE?

C'EST BON.

pff

Ha! Ha! Ha! Ha

Ha! Ha!

Chère Claudia,       Mardi

Je sais que je suis censée garder, mais Scott travaillait aujourd'hui et je ne pensais qu'à lui. Il m'a dit un truc super gentil quand je suis allée lui dire au revoir. J'ai hâte de tout te raconter. Salue Mimi pour moi!
À plus!

Claudia Kishi

Sky Mountain Resort

Lincoln, NH 03251

            Stace

P.-S. Mary Anne pense que je suis obsédée. Elle ne me comprend pas.

---

Chère Kristy,      Mardi

Je ne me doutais pas que Byron avait autant de peurs. Il a peur d'aller dans l'océan (même s'il sait nager) et hier, sur la promenade, il n'a pas voulu aller dans la maison hantée. Il va falloir en discuter.

           Bye,
           Stacey

Kristy Thomas

1210 McLelland Rd.

Stoneybrook, CT 06800

SALUT, TOUT LE MONDE! BONJOUR, SCOTT!

STACE! TU ES LÀ!

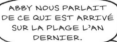

ABBY NOUS PARLAIT DE CE QUI EST ARRIVÉ SUR LA PLAGE L'AN DERNIER.

OH! QUOI DONC?

UN GARÇON PENSAIT AVOIR ÉTÉ PIQUÉ PAR UNE MÉDUSE... MAIS SA SŒUR L'AVAIT JUSTE PINCÉ SOUS L'EAU.

ÇA ME RAPPELLE LA FOIS...

HÉ! JE PEUX M'ASSEOIR AVEC TOI?

JE M'APPELLE ALEX.

80

ENSUITE, J'AI TENTÉ DE CONVAINCRE BYRON QU'IL POUVAIT SE BAIGNER SANS RISQUE...

PUIS J'AI TROUVÉ DES RAISONS D'ALLER PARLER À SCOTT.

PLUS ON APPRENAIT À SE CONNAÎTRE, PLUS J'ÉTAIS AMOUREUSE.

IL ÉTAIT GENTIL, DRÔLE, CHARMANT... ET **SI** BEAU!

IL Y AVAIT JUSTE UN PROBLÈME.

CHAQUE FOIS QUE JE REGARDAIS MARY ANNE, ELLE AVAIT L'AIR FÂCHÉE.

MAIS JE POUVAIS SURVEILLER LES ENFANTS DU POSTE DE SAUVETEURS.

DE TOUTE FAÇON, L'AUTRE GARÇON ÉTAIT **TOUJOURS** LÀ POUR L'AIDER!

SCOTT!

SALUT, STACE!

UNE SECONDE, DAVE. JE REVIENS TOUT DE SUITE.

JE VOULAIS TE DIRE...

MERCI D'ÊTRE VENUE ME PARLER CES DERNIERS JOURS.

TU ES TRÈS SYMPA.

À DEMAIN, STACE!

À CE MOMENT-LÀ...

JE L'AI SU.

Chère Kristy,                          Jeudi

Aujourd'hui, il ne faisait pas beau.
Stacey et moi avons eu l'idée folle
d'emmener les enfants au parcours
de golf miniature. Mais finalement,
on s'est bien amusés. Parfois, je trouve
que garder huit enfants, ce n'est pas plus
difficile que deux ou trois. Les Pike
se disputent et se taquinent, mais ils
se donnent aussi un coup de main.

                            À bientôt,
                            Mary Anne

P.-S. Stacey est énervante. Vraiment.
P.-P.-S. Ne lui montre pas cette carte.

Kristy Thomas

1210 McLelland Rd.

Stoneybrook, CT 06800

## CHAPITRE 8

VOUS SAVEZ... CE SERAIT UNE BONNE JOURNÉE POUR ALLER À SMITHTOWN.

NOOOON.

OH NON, PAPA! PAS ENCORE!

C'EST QUOI, SMITHTOWN?

UN VIEUX VILLAGE QUI EST CENSÉ AVOIR L'AIR DES ANNÉES 1700.

ALLER À **SMITHTOWN** C'EST ENNUYANT. JE NE TROUVE PAS CELA BIEN PLAISANT.

ON A DES JEUX DE SOCIÉTÉ ET DES CASSE-TÊTE...

ON FAIT CES CASSE-TÊTE CHAQUE ANNÉE ET IL MANQUE DES PIÈCES.

ET CLAIRE TRICHE AU MONOPOLY.

DU COLORIAGE, ALORS?

C'EST ENNUYANT.

LES ENFANTS, RETROUVEZ LE SOURIRE! MOI, VANESSA, JE VAIS VOUS DIVERTIR!

RASSEMBLEZ-VOUS POUR M'ÉCOUTER, MES POÈMES VONT...

NON!!!

HÉ! IL NE PLEUT PLUS.

ON POURRAIT ALLER SUR LA PROMENADE.

MAINTENANT QU'ON A TERMINÉ LE PARCOURS, IL RESTE UNE SEULE CHOSE À FAIRE.

ENVOYER NOS BALLES DANS CETTE CHUTE.

D'ACCORD!

tonk

cloc

DING DING DING

QUELQU'UN A GAGNÉ DEUX PARCOURS GRATUITS!

OH! C'EST MOI!

EST-CE QU'ON PEUT JOUER ENCORE?

ATTENDONS LE PROCHAIN JOUR DE PLUIE.

D'ACCORD, STACEY-GOUZI-GOUZA.

Dimanche

K,

Rien de nouveau.
Enfants vont bien.
B. a toujours peur de H2O.

S.

Kristy Thomas

1210 McLelland Rd.

Stoneybrook, CT 06800

---

Chère Claudia,                    Dimanche

Un truc horrible et humiliant m'est arrivé.
Je n'en reviens pas. Je me sens tellement
idiote! Mary Anne m'avait prévenue pour
Scott, mais je n'ai pas voulu l'écouter.
Elle m'avait pourtant dit de ne pas
m'emballer trop vite. Je suis vraiment
idiote! (Je n'ai plus de place. Je te
raconterai le reste dans une autre carte.)

Stace

Claudia Kishi

Sky Mountain Resort

Lincoln, NH 03251

CHAPITRE 9

ON ÉTAIT À SEA CITY DEPUIS UNE SEMAINE ET TOUT ALLAIT BIEN.

J'ÉTAIS BRONZÉE ET J'AVAIS ACHETÉ UN JOLI BIKINI SUR LA PROMENADE.

JE ME DÉBROUILLAIS BIEN AVEC MON RÉGIME ET MON INSULINE, ET MAMAN AVAIT TÉLÉPHONÉ SEULEMENT DEUX FOIS.

IL Y AVAIT JUSTE UN PETIT PROBLÈME.

ÇA N'ALLAIT **PAS FORT** ENTRE MARY ANNE ET MOI.

JE CROIS QU'ELLE ÉTAIT JALOUSE. CE GARÇON ALLAIT LA VOIR CHAQUE FOIS QU'IL EN AVAIT L'OCCASION ET L'AIDAIT À AMUSER LES ENFANTS EN FAISANT DES CHÂTEAUX DE SABLE.

MAIS FRANCHEMENT, IL ÉTAIT LOIN D'ARRIVER À LA CHEVILLE DE SCOTT.

ELLE N'ARRÊTAIT PAS DE SE PLAINDRE : « STACEY, TU PASSES TROP DE TEMPS AVEC SCOTT! TU ES CENSÉE SURVEILLER LES ENFANTS! »

J'ÉTAIS AU POSTE DE SAUVETEURS, POURTANT. J'AVAIS LA MEILLEURE VUE POSSIBLE SUR LES ENFANTS ET LA MOITIÉ D'ENTRE EUX ÉTAIENT TOUJOURS DANS L'EAU.

bonk

JE LES SURVEILLAIS DONC ENCORE PLUS QU'ELLE!

TU SAIS, STACEY...

JE TE TROUVE SUPER.

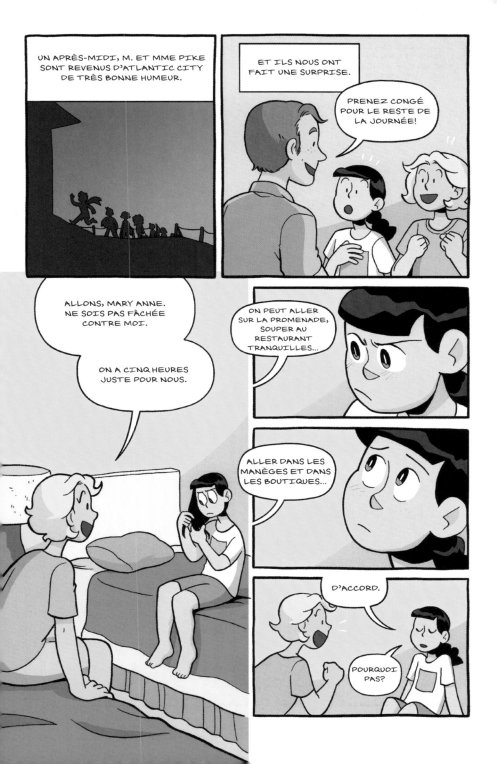

C'ÉTAIT UNE BONNE IDÉE DE VENIR ICI.

CETTE ANNÉE, J'AI L'IMPRESSION D'ÊTRE ENFIN MOI-MÊME, TU COMPRENDS?

J'AI TROUVÉ UN STYLE QUI **ME** RESSEMBLE, JE SUIS PLUS SÛRE DE MOI ET INDÉPENDANTE PAR RAPPORT À MON PÈRE. VENIR ICI, C'EST UN AUTRE PAS DANS LA BONNE DIRECTION.

C'EST GÉNIAL, MARY ANNE.

JE COMPRENDS CE QUE TU VEUX DIRE. MES PARENTS SONT SUPER...

MAIS ILS S'INQUIÈTENT TROP POUR MOI.

OUI.

JE DEVRAIS ACHETER UN CADEAU POUR SCOTT.

PFFF.

104

STACEY...

BRAVO, TU AVAIS **RAISON**.

JE N'AURAI PAS BESOIN DE...

ÇA...

SNIF

bouhou

ALLONS, STACE.

snif

PARTONS.

Chère Dawn,                 Dimanche soir

Stacey est toujours énervante, mais je suis triste pour elle. Elle a vu Scott embrasser une autre fille et elle a pleuré. Comment est la Californie? Tu me manques. Je pense acheter un bikini que j'ai vu dans une boutique. Évidemment, Stacey en a déjà acheté un.

À plus,
Mary Anne

P.-S. Détruis cette carte après l'avoir lue!

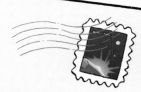

Dawn Schafer

88 Palm Blvd.

Palo City, CA 92800

## CHAPITRE 10

J'AI MAL À LA TÊTE. EST-CE QUE JE PEUX RESTER ICI AU LIEU D'ALLER À LA PLAGE?

BIEN SÛR, MA CHÉRIE.

PRENDS SOIN DE TOI.

EUH... STACEY?

EST-CE QUE JE PEUX RESTER AVEC TOI?

OUI, MAIS JE NE ME SENS PAS BIEN.

VEUX-TU TE PROMENER? OU ES-TU TROP MALADE?

UNE PROMENADE, CE SERAIT AGRÉABLE.

DU MOMENT QUE C'EST UN ENDROIT CALME.

POUR MON MAL DE TÊTE.

JE CONNAIS UN BON ENDROIT. VIENS.

HEUREUSEMENT, SCOTT PARTAIT QUAND JE SUIS ARRIVÉE À LA PLAGE AVEC BYRON.

CELA M'A DONNÉ LE TEMPS DE ME CHANGER LES IDÉES.

ET J'AI COMPRIS UNE CHOSE.

MÊME SI J'AVAIS PASSÉ DU TEMPS PRÈS DES ENFANTS...

JE N'AVAIS PAS VRAIMENT ÉTÉ **PRÉSENTE**.

ET J'AVAIS ÉTÉ UNE MAUVAISE AMIE.

MARY ANNE.

DÉSOLÉE D'AVOIR MAL AGI AVEC TOI.

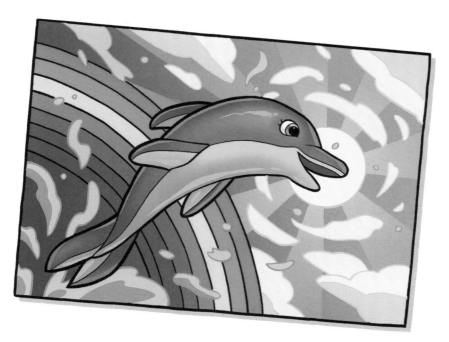

Chère Kristy,                    Mercredi

Byron est allé dans l'eau!
(plus ou moins) Je sais de quoi il
a peur. On en parlera à la prochaine
réunion. J'ai entendu une bonne
blague aujourd'hui. Je te
la raconterai à mon retour.

                    À bientôt,
                    Stacey

Kristy Thomas

1210 McLelland Rd.

Stoneybrook, CT 06800

Chère Claudia,          Mercredi

Je ne suis plus triste!
J'ai rencontré un beau gars qui
s'appelle Toby. Il est <u>très</u> beau.
Il a les cheveux et les yeux bruns,
et des taches de rousseur. Il a
un style <u>vraiment</u> cool.

                    À plus,
                    Stace

Claudia Kishi

Sky Mountain Resort

Lincoln, NH 03251

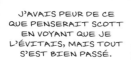

J'AVAIS PEUR DE CE QUE PENSERAIT SCOTT EN VOYANT QUE JE L'ÉVITAIS, MAIS TOUT S'EST BIEN PASSÉ.

J'AI JOUÉ AVEC LES ENFANTS EN ESSAYANT DE NE PAS LE REGARDER.

MAIS PARFOIS, JE NE POUVAIS PAS M'EN EMPÊCHER.

PUIS LE MERCREDI EST ARRIVÉ.

HUM, TU SAIS QUOI?

JE PENSE QUE CERTAINS ENFANTS EN ONT ASSEZ DE LA PLAGE.

SI ON SE SÉPARAIT?

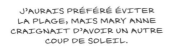

J'AURAIS PRÉFÉRÉ ÉVITER LA PLAGE, MAIS MARY ANNE CRAIGNAIT D'AVOIR UN AUTRE COUP DE SOLEIL.

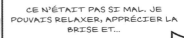

CE N'ÉTAIT PAS SI MAL. JE POUVAIS RELAXER, APPRÉCIER LA BRISE ET...

ESPÈCE DE GOUZI-GOUZA!

TU N'ES RIEN QU'UN...

CLAIRE!

QU'EST-CE QUE TU **FAIS**?

PERSONNE NE VEUT JOUER AVEC MOI!

ILS SONT TOUS DANS L'EAU!

CE N'EST PAS UNE RAISON POUR LES INSULTER. EXCUSE-TOI, PUIS VA T'ASSEOIR SUR TA SERVIETTE 10 MINUTES.

DÉSOLÉE.

OH, OH.

DÉSOLÉE, CLAIRE LE TAQUINAIT.

PAS DE PROBLÈME. TU ES STACEY, N'EST-CE PAS?

OUI. ET TOI, TU ES ALEX?

OUI. VOICI ELLIE, JIMMY ET KENNY.

ET MON COUSIN TOBY.

SA FAMILLE EST À SEA CITY POUR QUELQUES JOURS.

SALUT.

SALUT.

JE DOIS ALLER M'OCCUPER DE CLAIRE.

HEUREUSE DE T'AVOIR RENCONTRÉ.

D'ABORD, IL FAUT SE RAPPROCHER DE L'EAU.

ON A BESOIN DE SABLE **HUMIDE.**

TU EN PRENDS...

flop

PUIS TU LE LAISSES GLISSER ENTRE TES DOIGTS, COMME ÇA.

OOO

Ploc

MERCI D'AVOIR PASSÉ DU TEMPS AVEC NOUS. JE ME SUIS BIEN AMUSÉ.

MOI AUSSI.

ON SE VOIT DEMAIN? JE PROMETS DE RACONTER JUSTE **UNE** MAUVAISE BLAGUE.

TU PEUX EN RACONTER DEUX, MAIS TU DEVRAS ME PARLER DE TON GROUPE.

MARCHÉ CONCLU.

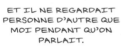

TOBY AVAIT TREIZE ANS ET VIVAIT AU NEW JERSEY.

SALUT, TOBY-GOUZI-GOUZA!

IL ÉTAIT GENTIL, MIGNON ET DRÔLE.

ET IL NE REGARDAIT PERSONNE D'AUTRE QUE MOI PENDANT QU'ON PARLAIT.

JE N'ÉTAIS PAS PRÊTE À DIRE QUE J'ÉTAIS AMOUREUSE...

MAIS J'AIMAIS BEAUCOUP TOBY.

# CARTE POSTALE

Chère Kristy,　　　　Vendredi

Les enfants sont énervés.
C'est leur dernière journée ici.
Ils veulent tout faire une dernière
fois. Mais ils ont hâte de rentrer.
Je te verrai probablement avant
que tu reçoives cette carte!

À bientôt,
Stacey

Kristy Thomas

1210 McLelland Rd.

Stoneybrook, CT 06800

---

Chère Claudia,　　　　Vendredi

Je sors avec Toby ce soir.
Vraiment! On a prévu d'aller
sur la promenade. Je te raconterai
à mon retour.

À plus!
Stace

Claudia Kishi

Sky Mountain Resort

Lincoln, NH 03251

SI TU DEMANDAIS À ALEX DE PRENDRE CONGÉ CE SOIR?

ON POURRAIT TOUS ALLER SUR LA PROMENADE.

TOI, MOI, ALEX ET TOBY.

EN-ENSEMBLE?

OUI! UN DOUBLE RENDEZ-VOUS.

JE NE SAIS PAS...

C'EST NOTRE DERNIÈRE CHANCE.

ON NE LES REVERRA PROBABLEMENT PAS APRÈS CE VOYAGE.

C'EST... C'EST VRAI.

ALORS, C'EST RÉGLÉ. VA VOIR SI ALEX PEUT SORTIR CE SOIR.

OUF!

ET PUIS? ET PUIS?

ON LES RETROUVE AU CASSE-CROÛTE HERCULE À 18 H.

137

TOBY! ALEX!

HÉ! VOUS ÊTES BIEN CHIC!

QUI VEUT GOÛTER AUX MEILLEURS HOT-DOGS?

MOI! IL PARAÎT QU'ILS ONT DES HOT-DOGS VÉGÉS.

APRÈS AVOIR ACHETÉ DES FLEURS, JONATHAN A DÛ FAIRE LA FILE AVEC LES AUTRES RETARDATAIRES POUR AVOIR SON COSTUME. IL L'A EU JUSTE À TEMPS POUR EMMENER ALICE À LA DANSE.

EN ARRIVANT CHEZ ELLE, IL S'EST RENDU COMPTE QU'IL AVAIT OUBLIÉ LE VESTON. SON COMPLET ÉTAIT INCOMPLET!

Ha!

HÉ, MARY ANNE...

ARRÊTE, JE N'EN PEUX PLUS!

Ha! Ha!

ÇA TE DÉRANGERAIT SI ON SE SÉPARAIT APRÈS LE REPAS?

AIMERAIS-TU ÊTRE SEULE AVEC ALEX?

OUI. JE VEUX BIEN.

AVANT QUE NOS MERVEILLEUSES VACANCES SE TERMINENT...

IL NOUS RESTAIT UNE CHOSE À FAIRE.

HÉ, TOUT LE MONDE!

LE GRAND MOMENT EST ARRIVÉ!

LE CHAPEAU DES CORVÉES!

NOOOOON!

J'AI MIS HUIT TÂCHES DANS LE CHAPEAU.

IL FAUT PARTIR À 13 H. NE PERDONS PAS DE TEMPS!

STACEY ET MARY ANNE, POUVEZ-VOUS SUPERVISER LES BAGAGES DES ENFANTS?

ET FAIRE LES VÔTRES, BIEN ENTENDU.

149

J'AI DU MAL À CROIRE QU'ON REPART DÉJÀ.

ON DIRAIT QU'ON VIENT JUSTE D'ARRIVER.

ON AURA DE BEAUX SOUVENIRS, N'EST-CE PAS?

LES REMÈDES DES ENFANTS POUR TON COUP DE SOLEIL...

L'EXPRESSION D'ADAM QUAND NICKY A FAIT UN TROU D'UN COUP.

**TON** EXPRESSION QUAND TU AS INVITÉ ALEX À SORTIR!

C'EST PRESQUE FINI.

LES ENFANTS ONT FINI LEURS CORVÉES ASSEZ TÔT POUR UNE DERNIÈRE BAIGNADE.

J'AI ESSAYÉ DE TOUT GRAVER DANS MA MÉMOIRE : L'AIR SALIN, LE SABLE CHAUD, LE SOLEIL...

REGARDE QUI EST LÀ.

VENEZ VOUS ASSEOIR AVEC NOUS.

DÉSOLÉ, ON DOIT RENTRER.

MAIS ON VOULAIT VOUS DIRE AU REVOIR.

OH NON. JE DÉTESTE LES ADIEUX.

## CHAPITRE 14

JE SUIS **FIÈRE** DE TOI.

JE SAIS QU'ON EST TROP PROTECTEURS, MAIS TU ES DEVENUE TRÈS RESPONSABLE.

ON VA ESSAYER DE TE FAIRE PLUS CONFIANCE.

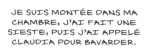

JE SUIS MONTÉE DANS MA CHAMBRE, J'AI FAIT UNE SIESTE, PUIS J'AI APPELÉ CLAUDIA POUR BAVARDER.

dring
dring

ALLÔ?

CLAUDIA! JE SUIS REVENUE!

STACEYYYYY!

JE SUIS CONTENTE DE TE PARLER, ÇA FAIT UNE ÉTERNITÉ!

ÇA VA? COMMENT ÉTAIT LE VOYAGE?

J'AI REÇU TOUTES TES CARTES!

JE SUIS DÉSOLÉE POUR SCOTT.

Ha!
Ha!

ET **TOI**, ÇA VA?

ET DE BEAUX SOUVENIRS
INOUBLIABLES.

**ANN M. MARTIN** est l'auteure du *Club des Baby-Sitters*, l'une des collections les plus populaires de l'histoire de l'édition, avec plus de 176 millions de livres imprimés dans le monde. Elle a inspiré toute une génération de jeunes lectrices. Ses romans incluent *Belle Teal*, *A Corner of the Universe* (qui a reçu un Newbery Honor), *Here Today*, *A Dog's Life* et *On Christmas Eve*. Elle a aussi écrit *P.S. Longer Letter Later* et *Snail Mail No More* avec Paula Danziger, ainsi que *The Doll People* et *The Meanest Doll in the World* avec Laura Godwin illustrés par Brian Selznick. Ann M. Martin vit dans l'État de New York.

**GALE GALLIGAN** est la créatrice des bandes dessinées *Dawn et le trio terrible* et *Le grand jour de Kristy,* toutes deux écrites par Ann M. Martin et classées au palmarès du *New York Times*. Quand elle n'est pas en train de créer des bandes dessinées, elle tricote et passe du temps avec ses adorables lapins de compagnie. Gale vit à Pleasantville, dans l'État de New York.

# NE MANQUEZ PAS LES AUTRES
# LIVRES DE LA COLLECTION

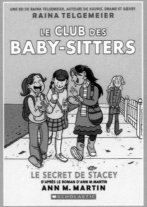

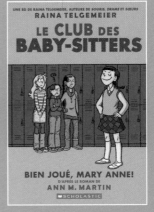

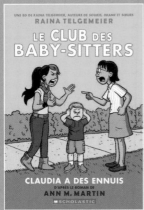

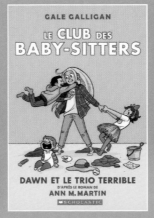